La historia de
RUBY BRIDGES

La historia de
RUBY BRIDGES

por **ROBERT COLES**
Ilustrado por **GEORGE FORD**

SCHOLASTIC INC.

New York   Toronto   London   Auckland   Sydney
Mexico City   New Delhi   Hong Kong   Buenos Aires

A RUBY BRIDGES HALL
y a todos los que hicieron lo que ella hizo
por Estados Unidos de América
—R.C.

A BERNETTE, mi esposa,
que revivió conmigo el sufrimiento de Ruby
—G.F.

Originally published in English
as *The Story of Ruby Bridges*

Translated by Jorge I. Domínguez

ISBN 0-439-55118-8

12 11 10 9 8 7 6 5 4 3 2   3 4 5 6 7 8/0

Printed in the U.S.A.   24

First Spanish printing, September 2003

Designed by Marijka Kostiw

George Ford used watercolor paints mixed with acrylic inks and conventional drawing inks to create
the illustrations for this book.

Ruby nos enseñó una lección a todos.
Ayudó a producir un gran cambio en nuestro país.
Ella hizo historia
del mismo modo que los generales y los presidentes
hacen historia.
Son líderes, y Ruby también lo supo ser.
Nos apartó del odio y nos ayudó a acercarnos
para conocernos mejor,
a los blancos y a los negros.

—LA MAMÁ DE RUBY

Ruby Bridges nació en el estado de Mississippi, en una pequeña cabaña cerca de Tylerton.

«Éramos muy, pero muy pobres —cuenta Ruby—. Mi papá trabajaba como jornalero, recogiendo cosechas. Sobrevivíamos de puro milagro. A veces no teníamos casi nada que comer. Los dueños de las tierras comenzaron a traer máquinas cosechadoras. Por eso mi papá se quedó sin trabajo y tuvimos que mudarnos. Recuerdo cuando nos fuimos. Creo que yo tenía cuatro años».

En 1957, la familia se fue a vivir a Nueva Orleans. El papá de Ruby comenzó a trabajar como bedel. Su mamá cuidaba a los niños durante el día y, después de meterlos en la cama, se iba a limpiar pisos en un banco.

Todos los domingos, la familia iba a la iglesia.

«Queríamos que los niños se acercaran a Dios —recuerda la mamá de Ruby— y se sintieran cerca de Él desde pequeños».

En esa época, los niños blancos y los niños negros de Nueva Orleans tenían escuelas separadas. Los niños negros no podían recibir la misma educación que los niños blancos. Era una injusticia. Además, iba en contra de las leyes de Estados Unidos.

En 1960, un juez ordenó que cuatro niñas negras asistieran a dos escuelas primarias para blancos. Tres de las niñas fueron enviadas a la escuela McDonogh 19. A Ruby Bridges, que tenía seis años, la enviaron a cursar primer grado en la escuela primaria William Frantz.

Los padres de Ruby se sintieron muy orgullosos de que hubieran seleccionado a su hija para participar en un importante suceso de la historia de los Estados Unidos. Fueron a la iglesia.

«Nos sentamos y le rogamos a Dios que nos diera fuerza y valor para vencer todas las dificultades; y rezamos para que Ruby siempre fuera una buena niña, mantuviera la cabeza en alto y fuera un orgullo para su gente y para todo el pueblo de Estados Unidos —cuenta la mamá de Ruby—. Rezamos mucho y con mucha fe».

El primer día que Ruby fue a clases, una multitud de blancos enfurecidos se reunió en la entrada de la escuela primaria William Frantz. Llevaban carteles que decían que no querían niños negros en las escuelas de los blancos. La gente insultaba a Ruby; algunos trataron de hacerle daño. La policía de la ciudad y del estado no protegió a Ruby.

El Presidente de Estados Unidos ordenó que la policía federal acompañara a Ruby a la escuela. Los policías federales iban armados.

Esa escena se repetía cada vez que Ruby iba a la escuela, todos los días, durante semanas que luego se convirtieron en meses.

Ruby caminaba a la escuela William Frantz rodeada de policías federales. Llevaba un vestido muy limpio, un lazo en el pelo y la lonchera en la mano. Ruby recorría lentamente las primeras cuadras. Al acercarse a la escuela, veía la multitud de gente caminando de un lado a otro de la calle. Hombres, mujeres y niños le gritaban. Se empujaban para acercarse. Los policías federales los mantenían a raya y los amenazaban con arrestarlos.

Ruby apretaba el paso entre la multitud y no decía ni una palabra.

Los blancos del vecindario no querían mandar a sus hijos a la escuela. Cuando Ruby entraba en el edificio, estaba sola con su maestra, la Sra. Henry. En la clase no había otros niños con los que ella pudiera aprender y jugar, conversar o almorzar.

Sin embargo, Ruby entraba cada día a la clase con una sonrisa, lista para aprender.

«Era muy educada y trabajaba bien en su pupitre —recuerda la Sra. Henry—. Disfrutaba el tiempo que pasaba en la escuela. No parecía nerviosa, ansiosa, ni asustada, ni se irritaba con facilidad. Parecía tan normal y relajada como cualquier otro de mis alumnos».

Y así fue como Ruby comenzó a aprender a leer y escribir en un salón de clases vacío, en una escuela vacía.

«A veces la miraba y me preguntaba cómo era capaz de hacerlo —cuenta la Sra. Henry—. Cómo podía pasar entre toda esa chusma, sentarse allí sola y, a pesar de todo, mostrarse tan tranquila y serena».

La Sra. Henry le hacía preguntas a Ruby para ver si estaba nerviosa o si en realidad sentía miedo, aunque se mostrara tan calmada y segura. Pero Ruby siempre le respondía que estaba bien.

La maestra decidió esperar para ver si Ruby seguiría tan serena y optimista, o si poco a poco se iría cansando hasta llegar el día en que decidiera que no quería ir a la escuela.

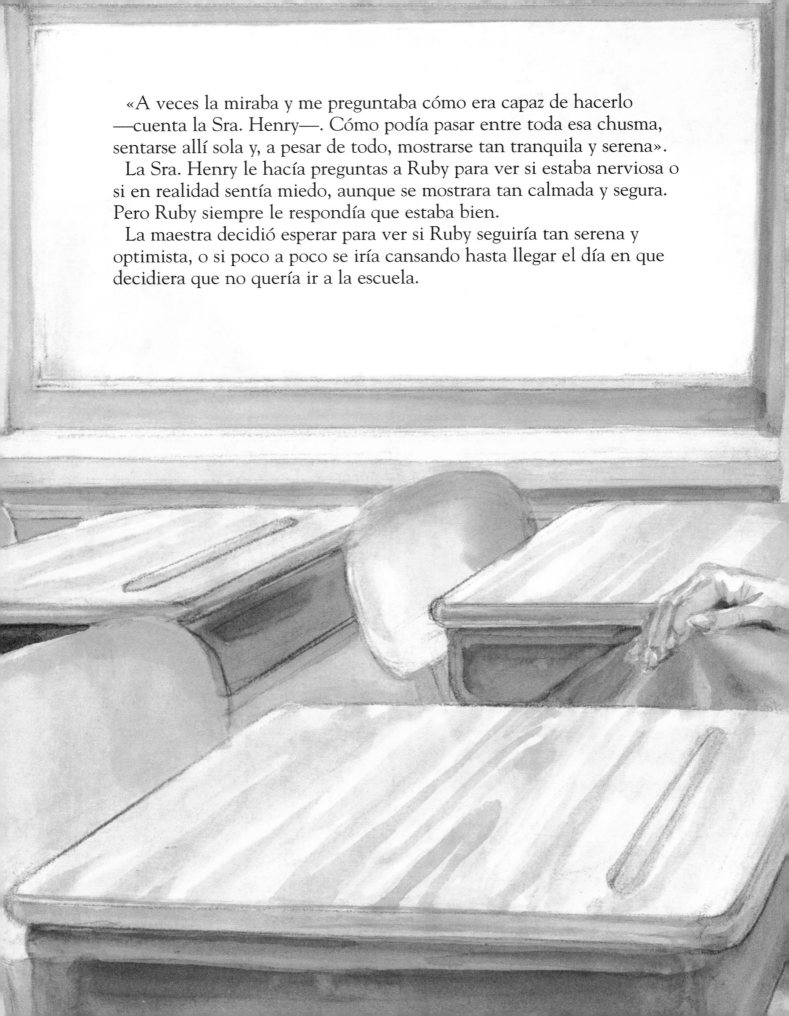

Pasó el tiempo y, una mañana, sucedió algo diferente. La Sra. Henry estaba como siempre parada junto a la ventana de su salón de clases, mirando a Ruby caminar hacia la escuela. De pronto, Ruby se detuvo ante la chusma que gritaba. Se paró frente a aquellos hombres y mujeres. Parecía que les decía algo.

La Sra. Henry vio que los labios de Ruby se movían y se preguntó qué les estaría diciendo.

La multitud parecía dispuesta a matar a la niña.

Los policías federales estaban asustados. Trataron de persuadir a Ruby de que siguiera caminando y se apresurara a entrar en la escuela, pero Ruby no se movía.

Entonces, Ruby dejó de hablar y se dirigió a la escuela.

Cuando entró en el salón de clases, la Sra. Henry le preguntó qué había sucedido. La Sra. Henry le dijo que había estado mirando todo por la ventana y que se había sorprendido cuando la vio detenerse y hablar a la gente.

Ruby se molestó.

—No me detuve a hablar con ellos —dijo.

—Ruby, yo te vi hablando —respondió la Sra. Henry—. Vi cómo se movían tus labios.

—Yo no estaba hablando —le dijo Ruby—. Estaba rezando. Rezando por ellos.

Todas las mañanas, Ruby se detenía unas cuadras antes de llegar a la escuela para rezar por la gente que la odiaba tanto. Pero esa mañana no se acordó de rezar hasta que estuvo en medio de la furiosa multitud.

Cuando terminaron las clases ese día, Ruby pasó rápidamente entre la multitud como hacía siempre. Después de caminar varias cuadras, cuando la multitud ya estaba lejos, dijo la oración que repetía dos veces al día, antes y después de ir a la escuela:

Por favor, Dios mío, trata de perdonar a esa gente,
porque aunque digan esas cosas malas,
no saben lo que hacen.
Tú podrías perdonarlos,
como perdonaste a aquella gente hace tantos años,
cuando decían cosas terribles sobre Ti.

EPÍLOGO

Tiempo después, ese mismo año, dos niños blancos comenzaron a asistir con Ruby a la escuela primaria William Frantz. Sus padres estaban cansados de ver a los niños haciendo travesuras en la casa en lugar de estar en la escuela aprendiendo. La multitud se puso furiosa cuando los dos primeros niños blancos regresaron a la escuela. Pero pronto se les unieron otros niños.

«Nos hemos quedado de brazos cruzados, hemos dejado que nuestros hijos se queden sin recibir la educación que necesitan porque un grupo de gente ha tratado de imponer sus propias leyes —dijo un padre—. Es hora de que defendamos la ley y el derecho de nuestros hijos a asistir a la escuela y recibir educación».

Al final, todos tuvieron acceso a la educación: Ruby y un creciente número de niños que iba a la escuela con ella. Cuando Ruby pasó a segundo grado, la multitud había desistido de su intento de asustarla y desobedecer la orden del juez federal de acabar con la segregación en las escuelas de Nueva Orleans para que los niños de todas las razas pudieran estar en el mismo salón de clases. Pasaron los años y Ruby siguió asistiendo a la escuela William Frantz hasta que se graduó. Después siguió estudiando y completó sus estudios de secundaria.

Ruby Bridges está casada con un contratista de construcción y tiene cuatro hijos que estudian en escuelas del Sistema de Escuelas Públicas de Nueva Orleans. Hoy en día es una exitosa mujer de negocios y ha creado la Ruby Bridges Educational Foundation (Fundación Ruby Bridges para la Educación) a fin de promover una mayor participación de los padres en las actividades escolares de sus hijos. Si desea más información sobre la fundación, escriba a: The Ruby Bridges Foundation, P. O. Box 6, Rockville Centre, NY 11571-0006.

Sobre el autor

El Dr. Robert Coles es especialista en psiquiatría infantil y ha trabajado con gente joven en varias regiones de Estados Unidos; como escritor, ganó el Premio Pulitzer. Obtuvo su licenciatura en la Universidad de Harvard y su doctorado en la Facultad de Medicina de la Universidad de Columbia.

El Dr. Coles es investigador de psiquiatría del programa de Servicios de Salud de la Universidad de Harvard. Entre sus libros para adultos más importantes se encuentran *Children in Crisis* (obra en cinco tomos); *The Political Life of Children*; y *The Moral Life of Children*. Vive con su familia en las afueras de Boston, Massachusetts.

Sobre el ilustrador

George Ford ha ilustrado muchos libros, y dos de ellos recibieron prestigiosos premios literarios. *Ray Charles*, de Sharon Bell Mathis, fue galardonado con el premio Coretta Scott King Award, y *Paul Robeson*, de Eloise Greenfield, con el premio Jane Addams Children's Book Award.

Ford también ha ilustrado, entre otros, *Bright Eyes, Brown Skin*, de Cheryl Willis Hudson y Bernette G. Ford y *Jamal's Busy Day*, de Wade Hudson. George Ford vive con su esposa y su hija en Brooklyn, Nueva York.